L'ESPACE

Chantecler

Comment se servir de ce livre?

Commence par consulter le sommaire de la page suivante. Lis les titres des différents chapitres pour voir si tu y trouves ce que tu cherches. En face de chaque sujet, le numéro des pages qui s'y rapportent a été noté. Il suffit de t'y référer.

Si tu as besoin d'explications sur un mot précis, il est préférable de te servir de l'index en page 31. Si tu veux par exemple des renseignements au sujet des astronautes, l'index te dira que ce livre en parle en pages 6 et 7. L'index reprend également toutes les illustrations de l'ouvrage.

Tu rencontreras parfois en cours de lecture des mots que tu ne comprends pas. Il suffit alors d'aller chercher leur explication dans le glossaire en page 30.

Titre original: *Space travel*

Adaptation française: N. Halleux.
D-MCMLXXXIX-0001-41

SOMMAIRE

DES HOMMES DANS L'ESPACE

Vivre dans l'espace

Imagine-toi bien emmitouflé dans tes vêtements les plus chauds, prêt à affronter le vent glacial. Sur Terre, tu es protégé. Mais dans l'espace, ces habits bien chauds ne te serviraient à rien. Tu serais mort en moins d'une minute car l'espace est froid et vide. Il ne contient rien de ce qui est indispensable à notre vie.

Sur terre, nous sommes entourés d'air que nous respirons. Cet air est assez lourd. L'action que l'air exerce sur nous est appelée pression. Dans l'espace, il n'y a pas d'air. C'est pourquoi les astronautes sont obligés de rester à l'intérieur de leurs vaisseaux ou de s'équiper de tenues spéciales pour contrôler la pression qu'ils subissent.

Dans l'espace, les choses ne pèsent rien et flottent. Les astronautes sont obligés de faire des exercices spéciaux pour que leurs muscles et leurs os ne s'affaiblissent pas lorsqu'ils sont en état d'apesanteur.

Les météorites constituent un des autres dangers de l'espace. Ce sont des morceaux de rochers qui volent et peuvent endommager le vaisseau spatial.

Un astronaute équipé d'une combinaison étanche flotte dans l'espace. Il peut se déplacer en contrôlant de petits jets de gaz sortant de l'engin qu'il porte sur le dos.

Le vaisseau représenté est une navette spatiale. L'équipage vit et travaille dans la petite cabine à l'avant. La nourriture, l'eau et l'air nécessaires y sont également stockés. L'arrière de la navette est réservé au transport.

La Terre est entourée d'une couche d'air qui se raréfie progressivement. L'espace commence à 100 km environ de la Terre.

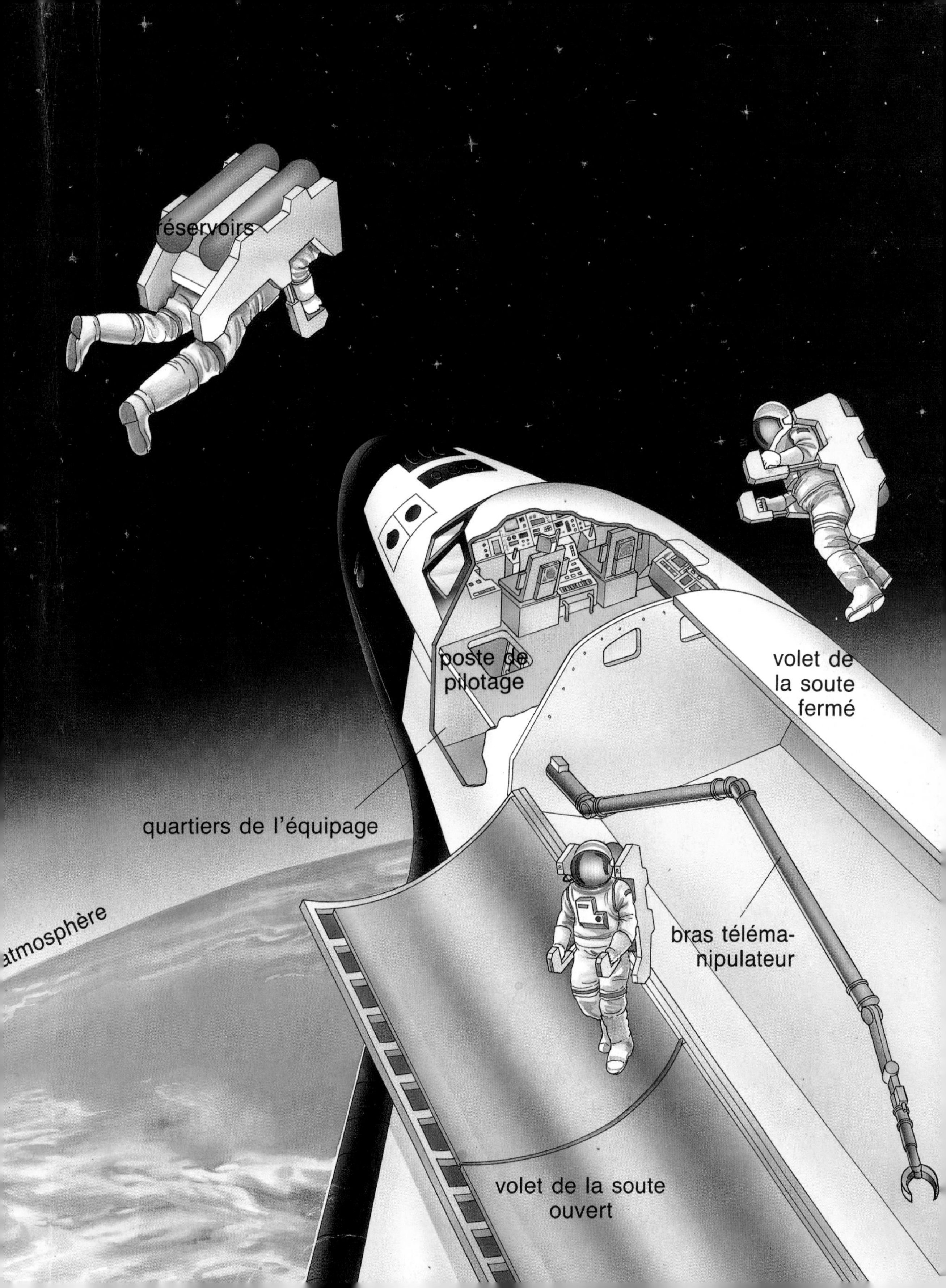
réservoirs
poste de pilotage
volet de la soute fermé
quartiers de l'équipage
atmosphère
bras téléma-nipulateur
volet de la soute ouvert

Lancement de 3.000 tonnes de métal et de carburant. La fusée Saturne V envoie 3 astronautes vers la Lune.

Objectif Lune

Douze astronautes ont marché, travaillé et dormi sur la Lune à 380.000 km d'ici. Personne n'a jamais été plus loin.

Jusqu'à présent, il n'y a que les Américains qui ont été sur la Lune. Il leur a fallu dix ans de préparation pour y arriver. Avant d'oser envoyer des humains, ils ont commencé par des robots pour vérifier si l'alunissage était faisable. Ils ont aussi expédié des vaisseaux équipés de caméras pour prendre des photos des endroits susceptibles de servir de terrain d'atterrissage. Ils ont construit des fusées toujours plus grandes pour lancer les engins spatiaux. Leur fusée la plus puissante était baptisée Saturne V.

jeep lunaire

La première fois, les Américains n'envoyèrent qu'un seul homme dans l'espace, puis deux. Finalement, ils firent partir les trois astronautes qui furent les premiers à débarquer sur la Lune en 1969. Leur vaisseau s'appelait Apollo 11 et la partie qui alunit s'appelait un module lunaire.

D'autres astronautes envoyés plus tard sur la lune purent circuler dans la première jeep lunaire. Ils explorèrent la Lune, firent des expériences et ramassèrent des échantillons de roches pour les ramener sur la terre. Ils découvrirent qu'aucune plante, ni aucun animal ne vivait sur la Lune. La dernière mission vers la Lune date de 1972. La prochaine fois que des hommes y retourneront, ils emporteront probablement du matériel pour extraire les métaux contenus dans le sol.

Des astronautes sur la Lune. Tu peux voir aussi le module lunaire et la jeep lunaire.

module lunaire

La navette spatiale

Quelques minutes plus tard, le réservoir se détache.

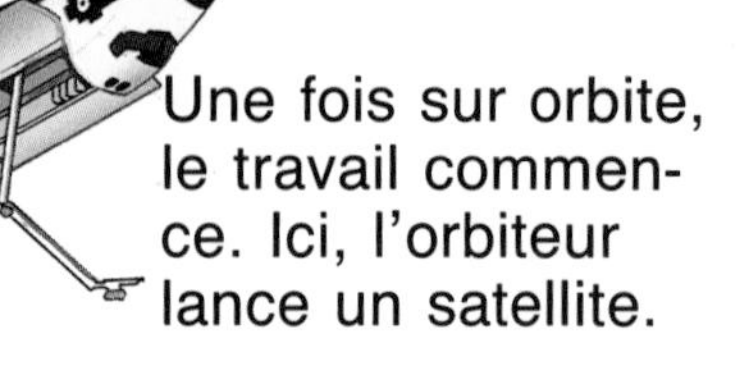

Une fois sur orbite, le travail commence. Ici, l'orbiteur lance un satellite.

Les Américains ont dépensé des milliards de dollars pour atteindre la Lune avec des engins qui ne servaient qu'une seule fois. Puis, leurs savants imaginèrent un nouveau type de vaisseau dont l'utilisation serait moins coûteuse. Ils le baptisèrent navette spatiale. La plupart des éléments d'une navette peuvent être utilisés plusieurs fois.

La partie de la navette qui transporte l'équipage et la cargaison est appelée l'orbiteur. Celui-ci est envoyé dans l'espace par des moteurs-fusées et des propulseurs, puis revient sur la Terre comme un avion ordinaire. L'orbiteur et les moteurs-fusées peuvent être réutilisés. La seule partie perdue est le réservoir à carburant. La navette comprend aussi une énorme soute centrale.

La navette décolle, tous moteurs à pleine puissance. Après deux minutes, les fusées d'appoint sont parachutées vers la Terre.

La navette est amenée vers son aire de lancement.

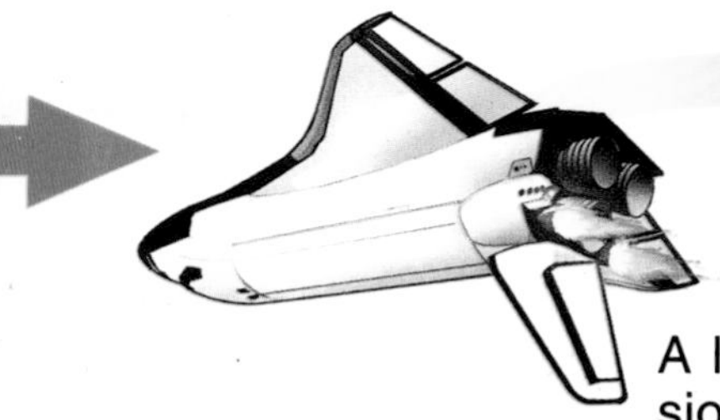

A la fin de la mission, l'orbiteur allume des fusées pour ralentir.

La soute permet de transporter du matériel de n'importe quelle forme et dimension, même des autres engins spatiaux.

La plupart des vaisseaux qui transportent des hommes décollent et atterrissent à toute vitesse. Il faut donc un entraînement spécial pour résister à de telles forces. La navette décolle et atterrit plus doucement. De ce fait, des savants non exercés peuvent y embarquer pour autant qu'ils soient en pleine forme.

L'orbiteur se retourne et s'échauffe en rentrant dans l'atmosphère.

L'utilisation de la navette n'est pas aussi économique que les Américains l'espéraient. Une navette, Challenger, explosa en 1986. Les voyages spatiaux restent donc dangereux. Mais le programme prévu se poursuit.

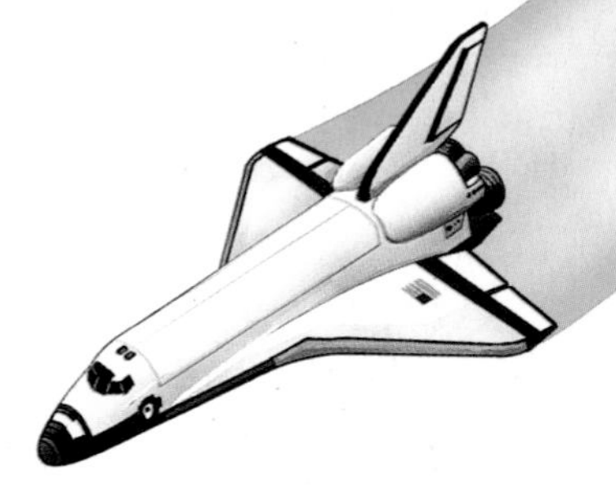

Avant d'atterrir, l'orbiteur se retourne de nouveau et descend lentement grâce à ses ailes.

Les stations orbitales

Nous savons maintenant qu'il y a moyen de voyager dans l'espace. L'étape suivante consistait à construire des vaisseaux spatiaux permettant d'y vivre. C'est ce que l'on appelle les stations orbitales.

Plusieurs hommes ont déjà essayé de vivre dans l'espace. Depuis 1971, les Russes ont envoyé sept stations orbitales Saliout. Des équipes d'astronautes (cosmonautes) y vécurent plusieurs mois. De plus petits engins spatiaux venaient les approvisionner.

Les Américains ont entamé le programme Skylab en 1973 en réutilisant une partie d'une fusée.

Cosmonautes russes dînant à l'intérieur de la station orbitale Saliout.

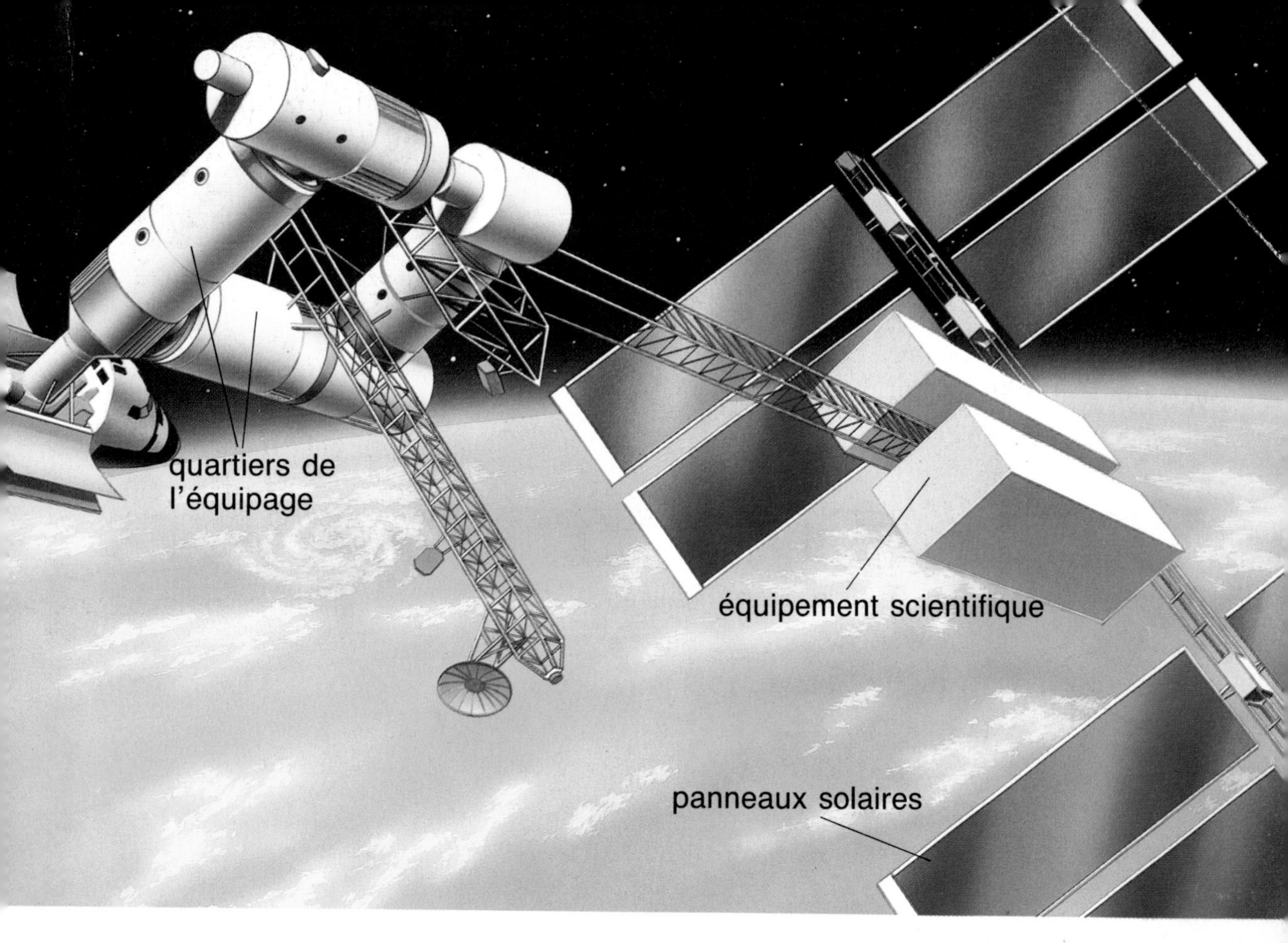

Tous ces séjours dans l'espace n'étaient que des tests pour déterminer combien de temps un homme peut vivre dans l'espace et pour vérifier l'utilité des stations orbitales.

Certains médicaments et certains alliages de métaux se font plus facilement et à un moindre prix dans l'espace que sur la terre. Il faut en effet pouvoir travailler à l'abri de l'air ou parfois en apesanteur. Sur la terre, il est nécessaire de construire des locaux spéciaux à cette fin alors que ces conditions sont naturellement présentes dans l'espace et donc dans une station orbitale.

Les Américains prévoient la construction d'une nouvelle station orbitale vers 1990. Elle se présentera plus ou moins comme sur le dessin. La navette spatiale transportera toutes les pièces détachées. Les "ouvriers" de l'espace séjourneront dans les parties cylindriques.

Les satellites artificiels

As-tu déjà regardé la météo à la télévision? Tu as vu les photos de nuages. As-tu déjà entendu à la radio des nouvelles venant de très loin? Tous ces mots et ces images ont été envoyés par satellite à travers l'espace.

Un satellite émetteur prêt à être lancé.

Les satellites tournent sans cesse autour de la terre; on dit qu'ils ont été mis en orbite. Ces engins spatiaux revêtent une énorme importance et ne transportent jamais d'homme à bord. Il y a dans l'espace des centaines de satellites de taille et de forme différentes. En général, ce sont soit des "émetteurs", soit des "observateurs".

Les observateurs sont équipés d'appareils spéciaux qui envoient les images vers la terre. Ils photographient les nuages, les tempêtes, les zones de sécheresse,... etc. Ils observent les champs pour vérifier le développement des cultures ou les océans pour trouver les zones poissonneuses.

Les émetteurs enregistrent les signaux radio qu'ils envoient vers d'autres points de la Terre. Ils se chargent des images télévisées, d'échanges entre ordinateurs et de communications téléphoniques à travers le monde.

Satellites en orbite autour de la terre.
Intelsat est un satellite de communication, un émetteur.
Météosat est un observateur qui photographie les formations de nuages pour les prévisions météorologiques.

Météosat

Intelsat

Les sondes automatiques

Les humains n'ont pas été plus loin que la Lune qui est la plus proche voisine de la Terre. Mais des machines ont exploré l'espace bien au-delà de cette planète.

La Lune tourne sans cesse autour de la Terre tandis que la Terre elle-même est une des neuf planètes qui tournent autour du Soleil. Certaines machines se sont posées sur les planètes les plus proches, Mars et Vénus. Ce sont les sondes automatiques.

Les sondes se composent généralement de deux parties: un orbiteur ou station orbitale et une station au sol, le ''lander''. Ces deux éléments voyagent ensemble. Un moteur-fusée situé dans l'orbiteur permet de contrôler la trajectoire et de se mettre sur orbite.

Gros plan de la surface rocailleuse de Vénus, pris par une sonde soviétique Venera.

Ensuite, les deux parties se séparent. La sonde spatiale reste sur orbite et envoie des messages ou des images vers la Terre. La station au sol se pose et envoie des images à l'orbiteur ou directement à la Terre.

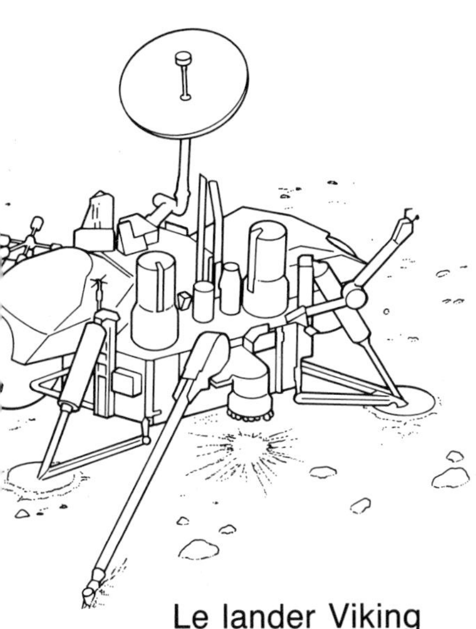
Le lander Viking

La mission du lander est bien plus dangereuse. Il traverse à toute vitesse les gaz qui entourent les planètes à visiter. La température atteinte est alors très intense et il lui faut une protection spéciale. L'atterrissage en douceur se fait grâce à des rétrofusées ou à des parachutes. La planète qui reçoit le lander peut être brûlante ou glaciale et il faut aussi que la sonde puisse résister.

Le lander américain Viking n'a trouvé aucun signe de vie sur la planète rouge, Mars.

Les planètes lointaines

Plusieurs vaisseaux spatiaux se sont aventurés très loin, quittant la chaleur et la lumière du Soleil. Certains ont dépassé Jupiter et Saturne. L'un d'entre eux voyage en direction des étoiles qui sont d'autres soleils, beaucoup plus éloignés de nous que les planètes qui tournent autour de notre soleil. Il faudra huit millions d'années pour que la première sonde atteigne les étoiles.

Les sondes spatiales s'apparentent aux satellites de type observateur. Elles envoient des informations et des images vers la Terre. Normalement, elles suivent une trajectoire très précise. Il est parfois possible de modifier leur itinéraire.

Trajectoire de la sonde Voyager 2. Partie de la Terre, elle passe devant les planètes Jupiter, Saturne et Uranus. Elle est actuellement en route vers Neptune.

Les nuages tournoyants de Jupiter, photographiés par Voyager 2. Tu peux également voir deux lunes de Jupiter en face des nuages.

La sonde qui a rencontré la comète de Halley en 1986 avait également une trajectoire très précise. Les comètes sont des boules de gaz et de poussières gelés qui décrivent de gigantesques orbites. La comète de Halley ne passe dans le voisinage du soleil que tous les 76 ans.

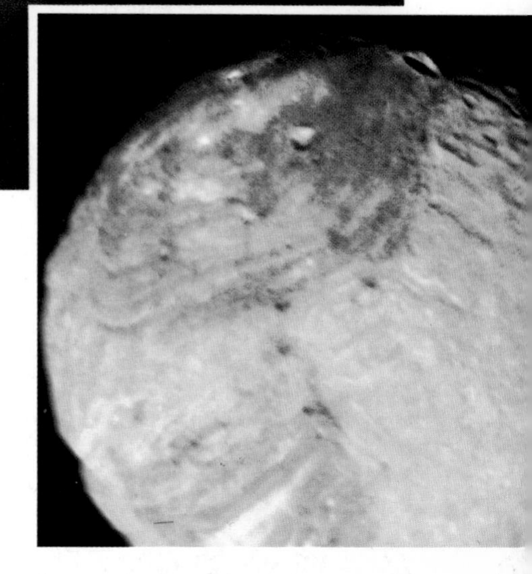

Des images de la planète Uranus ont été prises par Voyager 2 en janvier 1986. Ici, un des satellites d'Uranus, Miranda.

Ces voyages lointains nous ont fourni des mines de renseignements. On sait maintenant que Jupiter est une boule de gaz de couleurs entourée par un anneau de rayons mortels. Ses satellites sont de glace ou possèdent des volcans.

AVANT LE LANCEMENT

Préparer une mission spatiale

Quand un engin spatial décolle de la Terre, c'est le début d'un long voyage. C'est aussi l'aboutissement de plusieurs années de travail. Une fois que les ordinateurs de bord ont pris les commandes, les centaines de personnes chargées des contrôles et toutes celles qui ont travaillé dans les usines pour fabriquer l'engin, ne peuvent plus rien faire d'autre qu'espérer que tout marchera bien.

Astronautes s'exerçant à bouger en apesanteur. Ils se trouvent dans un avion permettant de reconstituer les conditions d'apesanteur pendant quelques minutes.

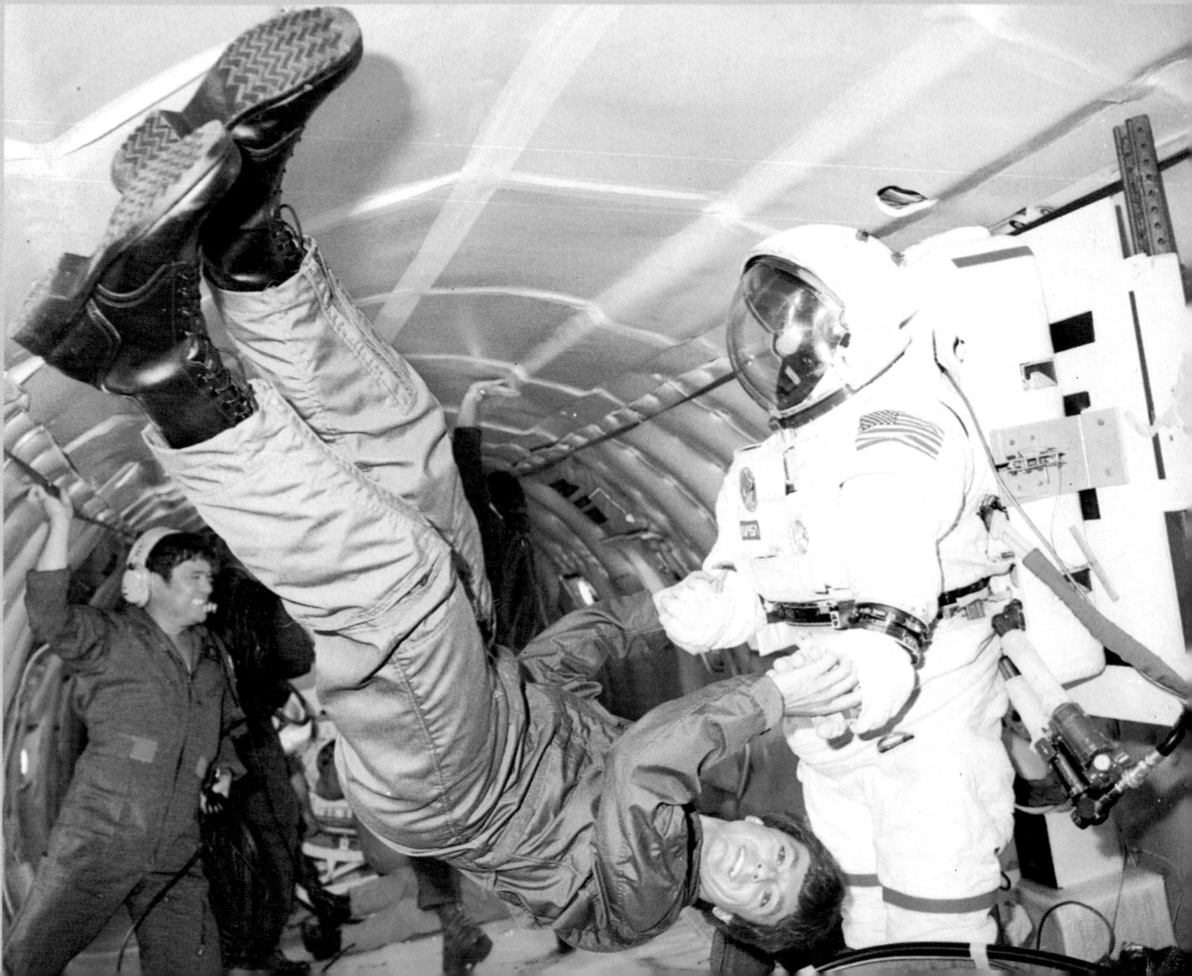

Il faut aussi des tas de plans avant de se lancer dans la fabrication d'un engin spatial. Des ordinateurs et d'autres instruments sophistiqués sont utilisés à tous les niveaux.

Tout commence par le travail des ingénieurs qui doivent déterminer quel sera l'usage de l'engin fabriqué. Il faut aussi qu'ils sachent quelle distance celui-ci devra parcourir, quelle sera la durée du vol, la nature de sa cargaison. Ils doivent d'abord répondre à des milliers de questions avec l'aide des ordinateurs. Il fallut douze ans de préparation avant que la première navette spatiale puisse être lancée en 1981.

Pendant la phase de la conception et de la fabrication d'un vaisseau spatial, il faut choisir et entraîner les astronautes. Les pilotes doivent apprendre à guider l'engin tandis que les autres passagers doivent se familiariser avec le travail qui devra être effectué dans l'espace. Ils passeront des heures dans des piscines spéciales pour s'habituer à l'idée de ne plus avoir de poids.

Construire un engin spatial

Une fois que les ingénieurs ont déterminé les caractéristiques de l'engin, ils commencent à le dessiner. L'engin doit être le plus léger possible pour utiliser un minimum de carburant et des moteurs-fusées économiques. Il faut aussi qu'il puisse résister aux chocs du lancement et de l'atterrissage.

S'il s'agit d'une sonde automatique, il faudra prévoir des pieds pour qu'elle puisse se poser. L'engin doit être capable de travailler dans des conditions fort différentes de celles qui règnent sur terre.

Le vaisseau aura une forme aérodynamique s'il doit voyager dans l'atmosphère de la terre ou d'une autre planète. S'il se déplace dans l'espace où il n'y a pas d'air, il peut avoir n'importe quelle forme.

Avant que la navette ne soit fabriquée, plusieurs plans furent dessinés. Certains servirent à construire des avions d'essai comme celui-ci.

A l'intérieur d'un des plus grands bâtiments du monde, la navette, son réservoir et ses moteurs-fusées sont assemblés.

Les ingénieurs doivent aussi penser au type d'énergie que l'engin utilisera. Beaucoup utilisent l'énergie solaire. Ils transforment la lumière du Soleil en électricité.

Avant de déterminer le modèle d'engin idéal, plusieurs essais sont effectués. Ensuite, dans des usines du monde entier, commence la fabrication des pièces qui seront assemblées près de l'aire de lancement.

UNE MISSION DE LA NAVETTE

Le lancement

''Zéro moins dix secondes...'' Le compte à rebours commence. Tu es le pilote de la navette, solidement attaché à ton siège, et tu regardes l'immensité du ciel.

Les moteurs sont lancés. Une voix hurle ''zéro'' Les fusées du lanceur crachent du feu. Les attaches qui retenaient l'ensemble s'ouvrent. La navette quitte le sol. Tu es écrasé contre le dossier de ton siège.

Deux minutes plus tard, les propulseurs s'arrêtent. De petites fusées les détachent de la navette pour les parachuter en direction de la Terre. Pendant les sept minutes suivantes, tu restes plaqué sur ton siège. Tes paupières ont tendance à se fermer tandis que tu vérifies les instruments de bord.

Soudain, tu ne pèses plus rien. Les moteurs principaux se coupent et le réservoir vide se détache. Tu vérifies le système de contrôle des réactions pour régler ta vitesse et le système de manœuvre en orbite. Tu as des ordinateurs pour t'aider.

Tu viens d'échapper à l'attraction terrestre. Ta mission commence.

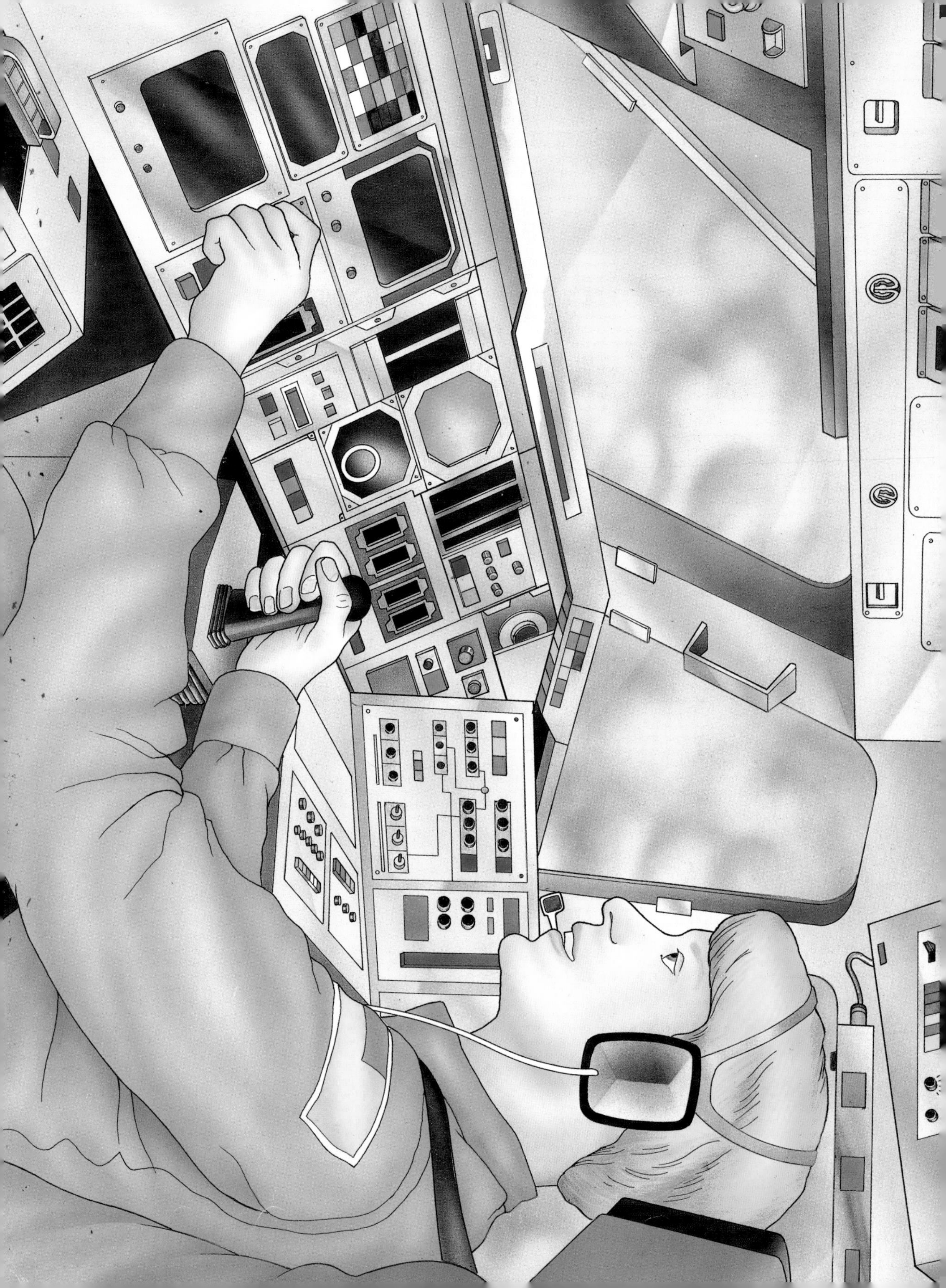

Chasse au satellite

Une des missions que tu pourrais avoir à accomplir serait de ramener sur terre un satellite endommagé. Il faut que tu commences par passer ta combinaison spatiale. Cette opération te prendra deux heures! Cette combinaison doit retenir l'air tandis que des sous-vêtements spéciaux maintiennent ton corps au frais. L'ensemble est complété par des gants, des bottes et un casque. Sur le dos, tu portes un petit moteur à réaction. Pendant trois heures, tu pourras respirer l'air qui se trouve dans ta combinaison.

Il n'est pas toujours facile de faire entrer un satellite dans la soute. Ici, deux astronautes essayent en s'aidant du bras articulé de la navette.

Ensuite, le volet de la navette s'ouvre. Tu pénètres dans l'espace. Le long bras articulé de la navette se dirige déjà vers le satellite. Tu flottes dans cette direction.
Au moyen de la radio dans ton casque, tu donnes des directives à l'astronaute qui contrôle le bras depuis la navette. Dès que le bras est dans la bonne position, tu le fixes fermement au satellite. Lentement, il va le déposer dans la soute de la navette. Il ne te reste plus qu'à détacher le bras.

Quarante minutes plus tard, te revoilà installé dans la navette. Il t'a fallu onze heures en tout pour cette mission délicate.

Parfois, la navette transporte un laboratoire spatial dans lequel les astronautes font des expériences.

Le retour

Ton séjour dans l'espace est terminé. Le moment le plus dangereux de ta mission est arrivé: la rentrée dans l'atmosphère.

Cette phase nécessite aussi des préparatifs. Il faut vérifier si les volets de la soute sont fermés, contrôler les moteurs-fusées et les préparer. Les ordinateurs doivent être prêts à contrôler la rentrée. La trajectoire de la navette doit être modifiée pour que la queue de celle-ci puisse sortir la première de son orbite. Il faut encore passer ta combinaison de protection et t'attacher à ton siège.

Trois heures plus tard, la tour de contrôle te dit que tu peux commencer la manœuvre de rentrée. Les moteurs-fusées s'allument et en deux minutes poussent doucement la navette hors de son orbite. Il faut alors tourner celle-ci pour qu'elle pénètre dans l'atmo-

Quand la navette rentre dans l'atmosphère, elle est brûlante. Dehors, l'air semble rouge.

sphère dans le bon sens. Pendant vingt minutes, rien ne se passe apparemment. Puis soudain, tu te sens plus lourd. La navette ralentit. L'air qui l'entoure est tellement chaud qu'il semble rouge. Les messages radio ne parviennent plus à passer.

Quinze minutes plus tard, le pire est passé. L'air est moins chaud au fur et à mesure que la navette perd de la vitesse. Elle plane doucement pour atterrir comme un avion ordinaire. Te revoilà en sécurité sur la Terre.

Le train d'atterrissage sorti, la navette est prête à se poser.

GLOSSAIRE

Un glossaire est une liste de mots. Ici, il t'explique tous les mots difficiles ou inhabituels utilisés dans ce livre.

Aérodynamique Prévue pour réduire le plus possible la résistance de l'air.

Apesanteur (état d') Absence de poids dans l'espace.

Astronaute Personne qui voyage dans l'espace. Les astronautes russes sont appelés cosmonautes.

Atmosphère Couche d'air qui entoure la Terre.

Comète Boule de gaz et de poussière gelés qui décrit de larges orbites qui la font passer près du Soleil à intervalles réguliers.

Etoile Tout astre visible.

Fusée Moteur très puissant utilisé pour lancer un engin spatial. Aussi appelée lanceur.

Fusée d'appoint Fusée supplémentaire utilisée au moment du décollage.

Lander Machine contrôlée par ordinateurs qui se pose sur la Lune ou des planètes.

Météorite Morceau de rocher circulant dans l'espace.

Module lunaire Partie du vaisseau Apollo qui se pose sur la Lune.

Navette spatiale Type de vaisseau spatial prévu pour être utilisé plusieurs fois.

Orbite Trajectoire d'un satellite naturel ou artificiel ou d'une planète qui tourne autour d'autre chose dans l'espace. Les planètes décrivent des orbites autour du Soleil et les satellites autour d'une planète.

Orbiteur Partie de la navette qui se met sur orbite autour de la Terre.

Planète Astre sans lumière propre qui tourne autour du Soleil ou des autres étoiles.

Pression (atmosphérique) Poids de l'air; force exercée par l'atmosphère en un point.

Rétrofusée Fusée servant au freinage ou au recul.

Satellite (naturel) Corps dans le ciel tournant autour d'une planète.

Satellite artificiel Engin spatial automatique tournant autour de la Terre.

Tour de contrôle Endroit où se trouvent toutes les personnes qui contrôlent les missions spatiales depuis la Terre.

INDEX

Les nombres en caractères **gras** indiquent la page où se trouvent les illustrations ou les photos.